Ce livre appartient à

....

offert par :

....

reçu le :

....

Gudule

Les frousses de Zoé

Le fantôme
du panier à linge

Illustrations de Jean-François Dumont

HACHETTE

À Nina,
ma petite Zoé brune

Hachette Livre, 43, quai de Grenelle, 75015 Paris.

Chapitre 1

Dans
le gouffre obscur
du couloir

« Au lit, Zoé ! »

Je fais celle qui n'entend pas, et je garde les yeux rivés sur la télé. Le film est palpitant ; une ambiance à vous hérisser les cheveux sur la tête. Ça se passe dans un motel sinistre, au fin fond des États-Unis. L'héroïne prend une douche. On voit sa silhouette derrière le rideau, par transparence. Et tout à coup...

« Zoé, qu'est-ce que je viens de te dire ?

— Encore cinq minutes, m'man, s'il te plaît ! »

Impossible de détacher mon regard de l'écran. Une ombre apparaît. Elle s'approche, lève le bras. La lame d'un poignard jette un éclair...

« Pas question ! Il est neuf heures un quart, et demain il y a école. Tu vas encore nous jouer la comédie pour te lever !

— Non, m'man, je te promets !

— Zoé, obéis à ta mère ! » intervient papa sans conviction.

La mort dans l'âme, je m'arrache au spectacle. Juste au moment fatal, évidemment ! La dernière image que j'aperçois, c'est le siphon de la douche aspirant un tourbillon de sang.

« De toute façon, c'est pas des histoires pour mômes », signale Rémi en mâchouillant des pop-corn.

Pour qui il se prend, celui-là, à me faire la morale ?

Rémi, c'est mon frère aîné. « Une mauvaise herbe qui a poussé trop vite », dit maman, quand elle parle de lui. Elle n'a pas vraiment tort, d'autant que toutes les parties de son corps n'ont pas grandi à la même vitesse. Résultat : il a des pieds énormes et une tête ridiculement petite. Il paraît que tous les adolescents sont comme ça, mais que ce n'est pas définitif. Plus tard, ils deviennent même parfois des adultes acceptables. Ce sera peut-être le cas de Rémi...

N'empêche que ce soir, il aurait mieux fait de se taire. Toute ma colère se retourne contre lui :

« Toi, la ferme ! C'est pas tes oignons !

— Bien sûr que si : quand tu fais

des cauchemars, tu cries et ça me réveille !

— Menteur !

— Un peu de silence, les enfants ! réclame papa, qui a envie de suivre l'intrigue.

— Zoé, pour la dernière fois, file au lit ! » s'impatiente maman.

À contrecœur — et au ralenti ! — j'ouvre la porte du salon. L'obscurité glacée du couloir me saisit. J'ai l'impression de plonger dans un brouillard d'encre.

« N'oublie pas de te laver les dents, ma cocotte ! » recommande papa.

Tout en cherchant l'interrupteur à tâtons, je grogne :

« Ouais, ouais, tu me le dis tous les soirs... »

Ma voix résonne si bizarrement dans le silence, que j'ai un mouvement de recul.

« Heu !... Je peux prendre Hot-dog avec moi ? »

Maman pousse un soupir exas-
péré :

« Combien de fois faudra-t-il te
répéter que je ne veux pas que tu
dormes avec le chien ? »

Du canapé où il est allongé, le
museau sur les pattes, Hot-dog ne
perd pas un seul de mes gestes. On
dirait une grosse saucisse posée sur
un coussin. Mais cette saucisse a des

petits yeux noirs si pleins d'amour que, franchement, c'est la personne de la famille que je préfère !

« Tu te décides à sortir, oui ou non ? lance mon frère, la bouche pleine. Il y a un courant d'air ! »

Bon, cette fois, je n'ai plus le choix. Puisqu'ils se liguent tous contre moi, je m'en irai la tête haute. Prenant mon courage à deux mains, je referme la porte sur la douce chaleur du salon.

Envoyer les enfants se coucher, je trouve ça inhumain. C'est une sorte de punition, comme si on nous faisait payer le fait d'être petits. Tout le monde reste douillettement dans la chaleur, la lumière et le bruit, mais nous, les expulsés, nous devons affronter la maison déserte, la solitude et le froid. Sans même notre chien pour nous tenir compagnie.

Moi, quand je serai grande, je laisserai mes enfants regarder le film jusqu'à la fin ! Et en plus, ils auront le droit de dormir avec leurs animaux !

À la maison, on me surnomme Zoé-la-Trouille, parce que, paraît-il, je suis froussarde. Ce n'est pas vrai, évidemment ! Simplement, j'ai quelques inquiétudes bien naturelles. Ça ne vous arrive jamais, à vous, d'imaginer qu'il y a un cadavre sous votre lit, un vampire dans le placard ou un monstre à tentacules dans la cuvette des W.-C. ? Moi, si.

Bon, plus vite j'aurai terminé les « formalités obligatoires », plus vite je serai à l'abri sous ma couette. Prenant mon élan, je traverse le couloir au pas de course, en évitant de me retourner, des fois qu'un spectre me suivrait. Puis je grimpe l'escalier quatre à quatre, et je m'engouffre dans la salle de bains.

Clic clac, je ferme la porte à clé.

Ouf ! j'ai atteint la première étape sans encombre. Maintenant, une autre question se pose : où est le tube de dentifrice ?

Chapitre 2

La « chose » derrière le rideau de douche

La salle de bains est minuscule et toute blanche. C'est un endroit assez rassurant, dans l'ensemble. Grâce à la clarté de la lampe qui surplombe le lavabo, on distingue les moindres recoins de la pièce. Même une souris ne pourrait pas s'y cacher. Alors, un monstre... !

Je m'examine dans le miroir, et ma

foi, je me trouve mignonne. Avec mes cheveux couleur carottes-râpées et mes yeux vert persil — et « tes oreilles en feuilles de chou, et ton teint de navet, et ton nez en forme de patate », rigolerait mon frère, s'il était là ! —, j'ai un peu l'air d'une jardinière de légumes. Mais ça ne me dérange pas : les légumes, je les adore. Et je préfère ressembler à « un p'tit pot-au-feu » — c'est le surnom que me donne papa ! — qu'à une grande andouille, comme Rémi !

Bon, tout ça, c'est très joli, mais qu'est-ce que j'ai fait de ma brosse à dents ?

Ah ! je l'ai rangée avec le dentifrice dans la trousse à maquillage de maman. Heureusement qu'elle ne s'en est pas rendu compte : je me serais encore fait gronder pour mon désordre !

J'étale un long serpent de dentifrice sur les poils, j'ouvre la bouche, et je commence à frotter, quand...

« OH ! »

D'un coup, mon cœur s'est arrêté de battre.

Dans le reflet de la glace, je viens d'apercevoir une chose véritablement effroyable : LE COUVERCLE DU PANIER À LINGE S'EST SOU-LEVÉ TOUT SEUL.

Et le pire, c'est que ce prodige se déroule DERRIÈRE MOI...

Dans l'ombre du panier, deux yeux brillants me regardent fixement. Qu'est-ce que je fais, je tombe dans les pommes ? Je me mets à hurler ? Je prends mes jambes à mon cou et je déboule dans le salon en appelant au secours ?

Avec un claquement sec, le couvercle du panier à linge tombe par terre.

Cramponnée à ma brosse à dents,

je recule jusqu'au bac de douche en bégayant :

« Qui... qui... qui êtes-vous ? »

Pas de réponse. Ce qui est dans le panier à linge est muet. Ou alors, il n'a pas compris ce que je disais à cause des bulles, parce que j'ai la bouche pleine de dentifrice. Ou alors, il ne voit pas l'intérêt de parler avec sa victime, avant de la tuer...

L'estomac en compote, j'enjambe le bac de douche et je rabats le rideau sur moi. Par transparence, je vois une silhouette menaçante se dresser, lever les bras...

« AAAAAAAH ! »

Je n'ai pas pu m'empêcher de crier. C'est exactement comme dans le film de tout à l'heure.

La silhouette a-t-elle un couteau dans la main ? Va-t-elle me poignarder sauvagement ? Mon sang va-t-il éclabousser les carreaux de faïence avant d'être évacué par le siphon ?

Je claque des dents. Mon cœur bat la chamade. Dans le silence de la salle de bains, ça produit un vacarme de tous les diables.

Brusquement, un troisième bruit se fait entendre. J'ai un peu de mal à l'identifier, au début. Ça semble tellement incroyable...

Pourtant, je ne me suis pas trompée. Ce que j'ai entendu, ce sont... des sanglots !

La « chose » du panier à linge, la terrifiante silhouette aux bras levés, pleure.

Prudemment, je risque un coup d'œil par la fente du rideau, et ce que je vois me laisse abasourdie. La « chose » du panier à linge, la terrifiante silhouette aux bras levés n'est autre que...

Non, impossible, c'est une hallucination !

... MA HOUSSE DE COUETTE À FLEURS. Celle que mamy m'a offerte à mon dernier Noël, avec la taie d'oreiller assortie.

Mais le plus ahurissant, c'est que cette housse est debout, qu'elle a la forme d'une personne, et qu'elle braque sur moi deux grands yeux pleins de larmes.

Les confidences du fantôme

Ma curiosité est plus forte que ma peur. Écartant brutalement le rideau et raffermissant ma voix le plus possible, je demande :

« Qui êtes-vous ? Et que faites-vous dans ma housse de couette ? »

J'ai à peine formulé ma question que la réponse m'apparaît d'elle-même, limpide, évidente. Ce que j'ai devant moi, c'est un fantôme. Un fantôme tout à fait classique, sauf qu'à la place d'un suaire blanc, il porte ma housse de couette à fleurs.

La housse de couette que j'ai mise au sale tout à l'heure, et dont sort, à présent, un grondement caverneux :

« Ne t'inquiète pas, Zoé, je ne te veux aucun mal.

— Comment connaissez-vous mon nom ?

— Je m'appelle Enguerran et je suis ton ancêtre, l'arrière-arrière-grand-père de ton arrière-arrière-grand-mère. »

Qu'est-ce que c'est que cette histoire ? On n'a jamais eu de fantômes dans la famille, nous ! Surtout des fantômes à fleurs ! Mes parents me l'auraient dit !

« Personne n'est au courant de mon existence, sauf toi, continue Enguerran.

— Pourquoi ?

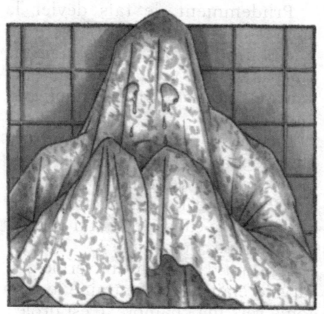

— Quand on ne croit pas aux choses, c'est comme si elles n'existaient pas. Tes parents ne croient pas aux revenants... »

D'un geste, je lui coupe la parole :

« Moi non plus !

— Bien sûr que si, puisque tu discutes avec moi ! »

Que répondre à un argument aussi logique ?

Prudemment, je fais dévier la conversation.

« Bon, admettons... Mais ça ne me dit pas ce que vous faites dans ma housse de couette, ni pourquoi vous pleurez ! »

Enguerran hoche sa tête imprimée de pâquerettes, de myosotis et de petits boutons de roses.

« C'est une longue histoire... Si nous allions causer dans un endroit un peu plus confortable ? »

L'instant d'après, ayant vérifié que la voie était libre, j'entraîne le fantôme vers ma chambre. C'est drôle : non seulement il ne m'effraie plus, mais sa présence aurait plutôt tendance à me réconforter. Je me sens bien moins seule, tout d'un coup. J'ai même retrouvé ma bonne humeur. À défaut de chien, un fantôme, finalement, c'est une compagnie très sympa pour la nuit !

J'adore les histoires, surtout avant de dormir. Mais personne ne veut jamais m'en raconter. Mes parents trouvent que je suis trop grande et mon frère dit que ce genre d'habitude, c'est débile. Quant à Hot-dog, à part aboyer et remuer la queue... !

Bref, pour une fois que quelqu'un accepte de se dévouer, j'ai l'intention d'en profiter. Je m'installe, la tête sur l'oreiller. Je laisse une petite place à Enguerran à côté de moi, et je décrète :

« Allez-y, je vous écoute. »

Le fantôme ne se fait pas prier. Il toussote deux trois fois pour éclaircir sa voix et commence :

« Zoé, j'ai l'honneur de t'annoncer que ta maison est hantée...

— Ça, figurez-vous que je m'en suis aperçue !

— ... mais pas par n'importe qui : uniquement par des membres de ta famille. Nous sommes cinq : ton arrière-arrière-arrière-grand-tante Hermine, ton arrière-arrière-petite-cousine Louisette, ton arrière-cousin Alphonse, son chat Moustache, et moi.

— Ça en fait du monde ! Mais... je croyais que les maisons hantées, c'étaient toujours des vieux manoirs ! »

Enguerran pousse un petit soupir.

« En principe, oui... jusqu'à ce qu'on les abatte pour construire des cités H.L.M. à la place ! La demeure dans laquelle nous vivions depuis des siècles a été démolie il y a quinze jours. Nous n'avions pas le choix : il a fallu que nous trouvions un nouveau refuge, comme la plupart de nos semblables.

— Et vous êtes venus vous installer chez nous ?

— Hé oui, vous êtes nos plus proches parents... Mais ce ne fut pas de gaieté de cœur, je peux te l'assurer ! S'adapter à la vie moderne, loger dans des F3, des studios-kitchenettes ou des pavillons de banlieue, ce n'est pas drôle ! Mais le pire... »

Nouveau soupir.

« ... le pire, c'est l'invention de la machine à laver ! »

Le fantôme baisse la tête, accablé.

Ce n'est pas dans mon caractère de me moquer des gens malheureux, au contraire. Mais là, je ne peux pas m'empêcher de sourire. Il est si théâtral, l'arrière-arrière-etc. -papy, que j'ai beaucoup de mal à le prendre au sérieux.

Sans tenir compte de mon impertinence, il poursuit, de plus en plus lugubre :

« L'invention de la machine à laver a fait de nous des martyrs !

— Pourquoi ?

— Lorsque les gens mettent leurs draps à la lessive, ils ne pensent jamais à vérifier s'il y a un fantôme dedans ! »

Pas besoin d'en dire plus, j'ai compris ! Pour le coup, je n'ai plus du tout envie de sourire. Rien que d'imaginer le pauvre être ballotté dans l'eau savonneuse, j'en ai des frissons !

« Mais... Pourquoi vous laissez-vous faire ? Vous n'avez qu'à vous sauver !

— Ce n'est pas toujours possible, hélas ! Dans le temps, les armoires des châteaux étaient remplies de grands draps blancs que les familles se passaient de génération en génération. Nous n'avions que l'embarras du choix. Mais aujourd'hui, à part quelques housses de couettes synthétiques, nous ne trouvons plus rien pour nous vêtir. C'est pour ça que j'habite celle que tu as mise tout à l'heure à la lessive.

— Même que maman m'a dispu-
tée, parce qu'il y avait au moins trois
jours qu'elle me disait de changer
mon lit !

— C'est cette négligence qui m'a
sauvé, merci, Zoé !

— Comment ça ?

— Tous mes compagnons ont disparu...

— QUOI ?

— Ils étaient dans les housses de
couette de tes parents, de ton frère,
de la chambre d'ami... Et dans la
couverture de ton chien... »

Le malheureux fantôme
s'effondre : « Maintenant, le panier à
linge est vide... » Longtemps, ses sanglots déchirants trouent le silence de
la nuit.

Chapitre 4

Opération sauvetage !

Je suis si bouleversée par les révélations de mon arrière-etc.-papy, qu'il me faut un bon moment avant de réagir.

« Quel jour sommes-nous, Enguerran ? »

Surpris, le fantôme relève le coin de drap trempé qui lui sert de visage.

« Euh !... jeudi, je crois... Tu sais, le temps n'a plus grande importance, pour moi...

— Jeudi ? Alors, rien n'est perdu !
Maman ne fait la lessive que le ven-
dredi matin ! »

Déjà, j'ai bondi hors de mon lit.

« Vos copains sont sauvés ! Venez
vite, on va les chercher ! »

Mais à ma grande surprise,
Enguerran reste de marbre.

« Inutile, Zoé : je te répète que le
panier à linge est vide.

— C'est impossible, vous devez
vous tromper !

— Ta mère les a portés ce matin
au pressing. »

J'ai l'impression de recevoir un
seau d'eau sur la tête.

« Nom d'un vermicelle en tutu,
vous avez raison ! J'avais complètement oublié : la machine à laver est
en panne ! »

Devant une catastrophe pareille, il
n'y a plus rien à dire, ni à faire. Par
la fenêtre entrouverte, un rayon de
lune s'insinue. Je le regarde un ins-

tant jouer sur les lames du parquet, comme un mini-projecteur de théâtre. Puis une nouvelle idée germe dans mon cerveau.

« Peut-être qu'au pressing, ils ne les ont pas encore lavés ? »

Enguerran hausse tristement les épaules.

« C'est gentil d'essayer de me consoler, Zoé... Mais je n'ai plus d'espoir...

— Même s'il n'y a qu'une chance sur mille, il faut la saisir ! Papa m'a expliqué un truc, l'autre jour... Il paraît que beaucoup de gens font marcher les machines après minuit, parce que l'électricité est moins chère... Quelle heure est-il ? »

Mon réveil à quartz indique onze heures trente-deux.

« Nous n'avons pas une minute à perdre ! »

Le fantôme s'est redressé, tout frémissant.

« Tu sais où il se trouve, ce pressing ?

— Dans la rue piétonne, juste à côté.

— Et tu crois que c'est sérieux, cette histoire d'économies d'électricité ?

— Je n'en sais rien, mais ça vaut la peine d'essayer ! »

Parfois, je m'étonne moi-même. Une telle détermination chez une petite fille de dix ans, je ne trouve pas ça normal. Peut-être que je suis surdouée sans le savoir ?

En moins de temps qu'il ne faut pour le dire, je réenfile mon jean, mon sweat-shirt et mes baskets. Puis j'ouvre ma porte, un doigt sur la bouche.

Plus un bruit dans la maison. En bas, la télé est éteinte. Sous la porte de la chambre de mes parents filtre un rai de lumière. Chez Rémi, par contre, il fait tout noir.

Sur la pointe des pieds, j'emprunte le couloir obscur et je descends l'escalier. Attention aux marches qui craquent !

Enguerran me suit, aussi silencieux qu'une ombre. On n'a pas intérêt à se faire surprendre, lui et moi : j'imagine la tête de mes parents s'ils me voyaient me promener au beau milieu de la nuit, tout habillée, en compagnie d'une housse de couette à fleurs !

Dans le corridor du rez-de-chaussée, il fait nuit noire. Je marche à tâtons. Mon seul point de repère : la poignée de la porte d'entrée, dont la porcelaine blanche forme une tache plus claire dans l'obscurité.

Je l'attrape, la tourne doucement.

À cet instant précis un aboiement furieux s'échappe de la cuisine.

« Hot-dog ! Il va réveiller toute la maison ! »

Verte de trouille, je lui ouvre. Il se jette dans mes jambes, tout frétillant, avec une langue d'un kilomètre de long.

« Chut ! Veux-tu faire moins de bruit, espèce d'andouille ! »

Mais Hot-dog est si heureux de me voir qu'il pousse des petits jappements de bonheur. Bravo la discrétion ! Je n'ai pas le choix : si je ne veux pas qu'il donne l'alerte, il faut que je l'emmène avec nous.

La rue est humide et froide, un vrai temps d'automne. Dans le halo bleuâtre des réverbères, tournoient des gouttes de pluie. J'aurais dû mettre un imperméable !

Trop tard : l'heure tourne. Tant pis pour moi si je m'enrhume !

En frissonnant, je me jette dans la tempête, suivie par mes deux compagnons.

Pour aller au pressing, il faut longer le square. Le vent s'engouffre dans les arbres en mugissant et secoue les branches. On dirait des bêtes géantes, en train de s'ébrouer. Chaque rafale leur arrache des paquets de feuilles... Est-ce que les arbres souffrent, quand l'automne les dépouille ?

Le ciel est si tourmenté qu'on ne voit pas la moindre étoile. C'est à peine si la lune parvient, de temps en temps, à glisser un pâle rayon entre deux gros nuages.

En quelques minutes, me voilà trempée jusqu'aux os. Et je ne suis pas la seule : Hot-dog, qui marche devant moi, a le pelage ruisselant et l'oreille basse. Il doit regretter son panier, pauvre toutou ! Enguerran ne vaut guère mieux : le bas de sa housse est plein de boue. Si mamy voyait ça, elle râlerait : elle qui exige qu'on prenne un soin tout particulier de ses cadeaux !

Dire qu'en ce moment même, on pourrait être tous les trois dans mon lit, bien au chaud...

Allons, ne nous laissons pas démoraliser ! Il y va de la vie de quatre malheureux... Tiens, au fait ? J'aimerais quand même comprendre quelque chose...

« Enguerran...

— Oui ?

— Qu'est-ce qui arrive aux fantômes quand on lave les draps ? Ils se noient ? »

L'arrière-etc.-papy hoche gravement la tête :

« Réfléchis, voyons : nous sommes déjà morts, nous ne pouvons pas mourir une seconde fois !

— Alors, qu'est-ce que vous risquez exactement ? »

Enguerran toussote comme s'il allait faire un discours, et répond à ma question par une autre question.

« Que sommes-nous, nous, les revenants ?

— Ben...

— Des âmes sans corps, poursuit-il, sans me laisser le temps d'en placer une. Or, les âmes, il n'y a rien de plus fragile. Le moindre souffle les agresse. C'est la raison pour laquelle nous portons des draps. Or, lorsqu'on nous met dans une machine à laver, nous sommes tellement secoués, malaxés, triturés, tordus en tout sens, que nos âmes, éjectées, passent par la tuyauterie et finissent dans les égouts.

— Dans les égouts ! ! ! Avec les ordures ? Mais c'est répugnant ! »

La vision de cauchemar me fait frissonner de la tête aux pieds. Du coup, je presse le pas.

« Il faut empêcher ça à tout prix !

— Il est encore loin, ton pressing ? s'inquiète Enguerran.

— Non, on arrive. Regardez, là-bas, juste au coin... »

Au-dessus d'un double rideau de fer clignote une enseigne au néon : *Blanchisserie du square.*

Je me plante devant la boutique en demandant d'un air idiot :

« Euh !... Vous savez comment on fait pour entrer ? »

Pour être sincère, je n'avais pas prévu ça. Normal : je suis toujours venue ici de jour. Je ne me doutais pas que Mme Denise, la blanchisseuse, bouclait sa vitrine comme un coffre-fort !

« Ne te tracasse pas, j'en fais mon affaire ! » dit Enguerran.

Et la housse de couette tombe par terre, dégonflée.

Moi, ça me coupe le souffle. Cette housse à fleurs en petit tas dans le caniveau, sans plus personne dedans, je n'ai jamais rien vu de plus angoissant !

Malgré la présence de mon chien, je me sens toute perdue, d'un seul coup !...

« En... Enguerran, où... où êtes-vous ? »

Pas de réponse... Enguerran a disparu.

Je lance des regards furtifs autour de moi. Pas un bruit, dans la rue, à part le grésillement monotone de la pluie. Les façades des immeubles ressemblent à des visages immobiles, que les brèves percées de lune semblent animer...

Avec la disparition d'Enguerran, tout mon courage s'est envolé.

« Hot-dog, j'ai p... peur... »

Si je n'avais pas mon chien, je crois bien que je fondrais en larmes...

Je le prends dans mes bras et je le serre très fort. Il frétille, me lèche le bout du nez avec des couinements tendres. Lui se fiche pas mal du froid, de l'obscurité, de la pluie, des façades inquiétantes. Bien sûr, il préférerait être au sec. Mais quand je le câline, le monde peut s'écrouler...

J'ai la tête enfouie dans son pelage mouillé quand un bruit me fait sursauter.

« Tip tap, tip tap... »

Le claquement cadencé d'une paire de chaussures cloutées sur les pavés du trottoir...

Je ne sais pas si vous êtes comme moi, mais des pas dans l'obscurité, je ne connais rien de plus effrayant. Surtout quand on ne sait pas à qui ils appartiennent, et qu'ils se rapprochent...

« Tip tap, tip tap... »

L'épouvante me saisit. Je lâche Hot-dog, qui se rue en grognant sur l'inconnu.

« TIP TAP, TIP TAP... »

Les pas sont tout près, mainte-nant...

Chapitre 5

Le pressing de l'horreur

C'est très exactement à cet instant que la porte du pressing s'ouvre.

« Entre vite ! » fait une voix dont le timbre sépulcral m'est maintenant familier.

Inutile de me le répéter ! Avec

un immense soulagement, je m'engouffre à l'intérieur du refuge providentiel. Et je me trouve nez à nez... avec un fantôme inconnu. Un fantôme à rayures bleues et blanches.

Je suis si surprise que mes cheveux se dressent sur ma tête.

« Je... Qui... Où est Enguerran ?

— C'est moi, grosse bête... Tu ne me reconnais donc pas ?

— Ben non... Tout à l'heure, vous... vous étiez différent...

— C'est parce que j'ai changé de suaire. Je viens de trouver celui-ci sur une étagère, et je m'y suis installé vite fait. Si j'étais resté une âme toute nue, je n'aurais pas pu t'ouvrir...

— Ah bon ?

— Les âmes traversent les murs, c'est grâce à ça que j'ai pu entrer. Mais elles n'ont pas de mains pour tourner les clés !... À propos, je n'ai pas trop tardé ? Tu n'as pas eu peur, toute seule ? »

Pour qui me prend-il, celui-là ? Pour une froussarde ? Avec un haussement d'épaules désinvolte, je fanfaronne :

« On me surnomme Zoé-l'Intrépide, vous savez ! »

En moi-même, je pense avec un peu de honte « Zoé-la-Frime m'irait mieux ! », tout en guettant, dans le silence de la rue, le bruit des pas qui s'éloignent.

« Tip tap... Tip tap... »

L'homme aux souliers cloutés s'est fondu dans la nuit. J'ai paniqué pour rien : ce n'était qu'un passant... D'ailleurs, Hot-dog monte la garde.

Maintenant que je suis rassurée, j'inspecte attentivement les lieux.

Drôle d'endroit ! Avec leurs hublots qui luisent faiblement dans le noir, les machines à laver ont des allures d'engins spatiaux. Si l'une d'elles décollait soudain, je n'en serais pas vraiment étonnée.

« Hermine ! Louisette ! Alphonse ! Moustache ! crie Enguerran, qui a déjà commencé à fouiner partout.

— Chut, moins fort ! Vous allez réveiller Mme Denise ! »

Mme Denise, je ne l'aime pas du tout. À bien y réfléchir, elle aurait même une tête à persécuter les fantômes. C'est une grosse dame aux dents jaunes, qui sent la poudre à lessiver. Quand elle parle, on dirait qu'elle aboie, et lorsqu'elle sourit, on a l'impression qu'elle s'apprête à mordre. Papa dit toujours qu'elle est « aimable comme une porte de prison ». Les portes des prisons ont-elles de grandes dents jaunes ?

Sans tenir compte de mon avertissement, Arrière-papy continue à appeler. Je le sens de plus en plus nerveux : normal, le temps passe !

L'horloge du pressing indique minuit moins dix.

Du coup, je m'affole aussi. Et je joins ma voix à la sienne.

« Hermiiiine !   Louiseeeette ! Alphoooonse ! Moustaaaache ! »

Rien.

« Hermiiiine !

— Louiseeeeeette !

— Alphoooonse !

— Moust... »

Un son étouffé coupe mon cri en deux :

« 0-ouuuu ! 0-ouuuu ! »

Ça, c'est Mme Denise ou je ne m'appelle plus Zoé !

Je me sens devenir toute pâle, et je plonge derrière un gros sac de linge en soufflant :

« Sauve qui peut ! »

Après une courte hésitation, Enguerran juge prudent de suivre mon exemple, et se laisse tomber dans un panier comme n'importe quel drap sale. Ce veinard, il n'a aucun mal à se camoufler, lui !

Quelques longues minutes passent. Puis à nouveau, nous entendons un cri. Enguerran risque la tête hors de sa cachette.

« Zoé... Je ne crois pas que ce soit Mme Denise. On dirait plutôt... un appel au secours ! »

Je dresse l'oreille, j'écoute attentivement... Nom d'un roudoudou à plumes, il a raison ! On perçoit nettement : « Au secouuuurs ! »

« Nous voilà ! » hurle Arrière-papy en se ruant illico en direction du bruit. Pas de doute, ça provient de l'intérieur d'une machine. La quatrième en partant de la droite.

« Regardez ! Quelque chose bouge derrière le hublot ! On dirait... la housse de couette violette de papa et maman !

— C'est Hermine ! »

L'instant d'après, Enguerran, dans

un état d'émotion indescriptible, serre la rescapée dans ses bras.

Mais celle-ci abrège les effusions.

« Vite, il faut délivrer les autres !

— Tu sais où ils se trouvent ? »

La forme d'un doigt tremblant se dessine dans le tissu violet, pour indiquer le fond du magasin.

« Moustache a été emmené au nettoyage à sec ! »

Un frémissement d'horreur secoue Enguerran :

« Sacrebleu, pauvre bête ! »

Les deux fantômes se précipitent comme des flèches vers le panneau : *Nettoyage à sec*. Je leur emboîte le pas sans attendre.

« C'est encore pire que le lavage ordinaire, m'explique Enguerran tout en courant. Une vraie séance de torture ! Au lieu d'eau, ce sont des produits corrosifs qui sont employés. Ils asphyxient l'âme avant de l'évacuer. Les revenants nettoyés à sec sont encore plus mal en point que les autres ! »

Sous le panneau se trouve un énorme appareil, plein de tuyaux, de cadrans et de boutons. Son aspect ne me dit rien qui vaille !

Il n'a pas de hublot, mais une sorte de meurtrière sur le côté. Nous y collons tous trois nos yeux.

Par la petite fente, on aperçoit des vestes, des manteaux, des robes, entassés les uns sur les autres.

« Vous le voyez, vous ? demande Enguerran.

— Non, il fait trop sombre... », se désole Hermine.

Moi, j'arrondis les yeux à m'en faire éclater les pupilles. Ce que vient de m'expliquer Arrière-papy me tourne dans la tête. J'en ai la chair de poule. Qu'on puisse faire subir un traitement pareil à un chat m'horrifie, même si c'est un chat mort !

« Regardez, là ! »

Quelque chose vient de jaillir de la masse de vêtements. Une patte à carreaux rouges et verts. Cette vision me fait sursauter :

« La couverture de Hot-dog !

— Il est coincé, s'écrie Enguerran. Vite, aidons-le ! »

C'est plus facile à dire qu'à faire. L'appareil s'ouvre avec une clé, et cette clé, nous ne la possédons pas. Mme Denise la garde sûrement dans son trousseau.

« Il doit y avoir un clapet de secours au-dessus de la machine ! » dit Enguerran.

Au-dessus de la machine ? Elle mesure au moins deux mètres cinquante !

L'escalader n'est pas une mince affaire ! Enfin, à force de s'entraider, de se contorsionner, de se tirer et de se pousser mutuellement, nous finissons par atteindre le fameux voyant.

Enguerran soulève la trappe et plonge la tête par l'ouverture.

« Moustache, où es-tu ? »

Un miaulement déchirant lui répond, et la patte se dresse à nouveau. En tendant le bras au maximum, Arrière-papy parvient à l'attraper. Aussitôt, j'agrippe le drap à rayures bleues et blanches, tante Hermine se cramponne à mon sweat-shirt et, ainsi soudés les uns aux autres, nous unissons nos forces pour tirer.

« Oh ! -hiiisse ! »

Nous tirons tant et si bien que Moustache se débloque d'un seul coup et, emportés par l'élan, nous dégringolons tous de la machine.

« On y est arr... arrivés ! bredouille Enguerran à moitié assommé.

— Miaou ! répond Moustache avec beaucoup de conviction.

— Juste à temps, dit tante Hermine : il est minuit moins deux !

— MINUIT MOINS DEUX ? »

Le cri est sorti de nos gorges, en même temps. Un cri d'horreur et de désespoir.

Le chat fantôme part comme une flèche, pour s'arrêter pile devant une machine. Avec son instinct animal, il a sûrement senti son maître !

Fébrilement, nous fouillons dans le linge entassé à l'intérieur.

« Là ! La housse de couette de mon frère ! »

Je la reconnaîtrais entre mille : c'est une housse décorée de tags et de graffitis. Rémi l'adore, et moi je la trouve moche comme tout.

L'instant d'après, Alphonse est parmi nous. Enfin, l'enveloppe d'Alphonse, car la housse est inanimée.

Je la regarde avec effroi.

« Est-ce qu'il est... mort ?

— Zoé, je t'ai déjà dit qu'on ne peut pas mourir deux fois ! » me rappelle Arrière-papy d'un ton sentencieux.

Un boucan infernal l'interrompt : celui de dizaines de robinets ouverts à fond. Programmées pour se mettre en marche à minuit pile, toutes les machines à laver viennent de s'enclencher en même temps.

Chapitre 6

Cinq naufragés sur une île engloutie

« Oh non ! s'effondre Hermine, en larmes.

— Horreur ! » hurle Enguerran.

Sortant de sa torpeur, Alphonse, comme propulsé par un ressort, se redresse avec un cri aigu :

« LOUISETTE ! »

Même Moustache est dans tous ses états.

À présent, les quatre fantômes sanglotent en chœur :

« Pauvre petite, une enfant si douce, si gentille, si affectueuse ! »

De deux choses l'une : ou je me joins au concert de lamentations, ou je prends le taureau par les cornes et je justifie le surnom que je me suis (abusivement !) attribué tout à l'heure : Zoé-l'Intrépide.

Allez, je justifie !

D'une main décidée, j'ouvre tous les hublots les uns après les autres en criant à pleins poumons :

« Au lieu de pleurer, venez donc me filer un coup de main : il y a peut-être un moyen de la sauver !

— Lequel ? s'étonne Enguerran.

— Empêcher les machines de se remplir pour qu'elles ne se mettent pas à tourner. Ça nous fera toujours gagner un peu de temps.

— Quelle idée de génie ! » s'émerveille Alphonse.

Tante Hermine — qui ne comprend rien à la technique ; à son époque on lavait le linge à la main ! — réclame des éclaircissements.

« Tant qu'il n'y a pas une certaine quantité d'eau dans l'appareil, il reste bloqué », explique Alphonse, qui, lui, a l'air de s'y connaître un peu mieux.

Il a une drôle de voix de fausset, une voix de garçon en pleine mue. Si nous n'étions pas dans une situation aussi tragique, j'aurais envie de rire.

Par les hublots béants, des litres et des litres d'eau se déversent dans la blanchisserie. On dirait les chutes du Niagara !

« Louisette se trouve dans une de ces machines, dit tante Hermine. Il faut la tirer de là avant que tout soit inondé ! »

Avec une énergie que je ne soupçonnais pas, elle se rue sur les appareils et, aidée de ses compagnons, en sort pêle-mêle : des chemises, des culottes, des serviettes-éponges, des gants de toilette, des essuie-mains. Bientôt, comme après un naufrage, des « épaves » flottent un peu par-

tout, tandis que le niveau de l'eau monte dangereusement...

Mais pas plus de Louisette que de poil sur un caillou !

« Personne... Toujours personne..., se désole Enguerran. Elle a bel et bien disparu !

— Nous n'y arriverons jamais ! gémit tante Hermine qui barbote lamentablement.

— Je crois que je vais m'évanouir à nouveau... » murmure Alphonse.

Moustache émet un miaulement en guise d'approbation car, comme tous les chats, il déteste l'humidité.

Pauvres fantômes ! Leurs suaires ressemblent à des éponges et doivent peser des tonnes. Ça ralentit tous leurs mouvements. Impossible de nager dans ces conditions ! Or, nous avons maintenant le buste dans la flotte... Les épaules... Le cou... Et ça continue à monter !

Seule la machine de nettoyage à sec émerge encore. Mais plus pour longtemps, hélas !...

Péniblement, nous nous hissons au sommet de cet asile précaire, et, serrés les uns contre les autres, nous faisons le point de la situation. Elle n'est pas brillante ! Non seulement nous n'avons pas retrouvé Louisette, mais nous sommes à présent tous les cinq en péril. Des naufragés, en passe d'être engloutis...

Inexorablement, le niveau de l'eau monte toujours...

*

* *

« Il n'y a pas trente-six solutions, dit Enguerran avec fermeté. Il y en a deux !

— Lesquelles ? » demande Alphonse de sa voix de fausset.

Comme nous avons les fesses dans l'eau, Moustache s'est perché sur sa tête.

« Si nous nous dépouillons de nos draps, cela nous permettra de voleter au-dessus de l'inondation et de passer à travers les murs pour gagner la rue..., commence Enguerran.

— Pas question ! coupe tante Hermine, indignée. Je suis une dame respectable, moi ! Je ne me suis jamais promenée toute nue de mon vivant, ce n'est pas pour commencer maintenant que je suis morte !

— Mais, tata ! proteste Alphonse, il faut bien qu'on sorte d'ici !

— Et où retrouveras-tu un suaire, une fois dehors, hein ? Y as-tu pensé, jeune écervelé ? Tu veux rester pour l'éternité une pauvre âme grelottante, à la merci du moindre courant d'air ? »

D'un geste impatient, Arrière-papy les fait taire, et poursuit :

« ... Mais, dans ce cas-là, de toute façon, Zoé ne pourra pas nous suivre... »

Je fais un bond d'indignation, ce qui éclabousse tout le monde.

« Eh ! Oh ! Vous n'allez pas me laisser tomber, les copains ! Si vous n'êtes pas en train de tourner dans les machines, c'est quand même grâce à moi !

— Elle a raison ! dit tante Hermine. Quoi qu'il arrive, je reste avec toi, ma chérie !

— N'y a-t-il pas une autre solution ? s'enquiert Alphonse.

— Si ! Que Zoé nage jusqu'à la porte de la boutique et qu'elle l'ouvre. Toute l'eau s'évacuera dans la rue, et nous pourrons sortir. »

Je me sens blêmir, et mon émotion est telle que j'en bégaie :

« A... attendez... C'est impo... possible ! D'abord, je nage très mal... Et puis, pour atteindre la poignée, il faut plonger très profondément. Et je... je ne suis ni un homme-grenouille, ni un scaphandrier !

— Un peu de courage, voyons, ma choupinette ! dit Enguerran.

— Pense à tes parents, à ton grand frère..., susurre tante Hermine.

— ... Ils seraient fiers de toi et ton chien aussi ! » ajoute Alphonse.

Mon chien ! Le nom m'a pénétré comme une flèche dans le cœur. Avec tous ces événements, je l'avais oublié ! Pauvre Hot-dog, abandonné dans la rue... Il doit être fou d'inquiétude !

De penser à lui, ça me donne de l'audace.

Quatre paires d'yeux inquiets guettent ma décision.

« Bon, d'accord... Je veux bien essayer, mais je vous préviens, je ne suis pas du tout sûre d'y arriver ! »

Je me bouche le nez, je ferme les yeux, et je m'apprête à sauter dans l'eau quand un hurlement suraigu éclate :

« À moi ! À l'aide ! Une inondation ! »

Réveillée par le tintamarre, Mme Denise est descendue voir ce qui se passait. Lorsqu'elle est entrée dans son arrière-boutique, une trombe d'eau l'a emportée. Complètement ahurie, elle barbote dans l'océan qui fut son magasin en criant à son mari, resté à l'étage :

« Antoine ! Appelle les pompiers ! Viiiiite ! »

Puis elle m'aperçoit et hurle de plus belle :

« Je tiens la coupable ! C'est elle ! »

Plus d'hésitation : je saute. Bien entendu, Mme Denise me poursuit. On dirait une grosse baleine aux dents jaunes.

La peur me donne des ailes... enfin, des nageoires. En quelques brasses, je parviens à la porte, je plonge, j'attrape la poignée.

Derrière moi, je sens déjà les remous de la blanchisseuse, qui crawle en vociférant :

« Attrapez-la ! Attrapez-la ! »

Agrippée des deux mains à la poignée, j'ouvre.

Un véritable raz de marée envahit la rue, me projetant avec les fantômes et Mme Denise sur le trottoir d'en face. Emportée par la vague géante, j'ai la vision fugitive de Hot-dog qui m'attend devant le magasin, un coin de ma couette à fleurs dans la gueule. HOT-DOG SUR LEQUEL LE FLOT FURIEUX VIENT DE S'ABATTRE.

Quand, à moitié étourdie par la violence du choc, je rouvre les yeux, c'est pour l'apercevoir, suffoquant, agitant désespérément ses petites pattes, entraîné par le courant dans le caniveau transformé en torrent.

« Hot-doooog ! »

Un cri d'horreur m'échappe. Mon chien vient de disparaître dans une bouche d'égout.

Chapitre 7

Il faut sauver Hot-dog !

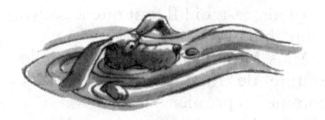

« Hot-dooooog ! »

Oubliant toute prudence, je fonce tête baissée vers la bouche d'égout, dont la grille protectrice a été arrachée par la violence du flot.

Mais c'est compter sans Mme Denise, dont l'énorme masse furibonde me barre le passage.

« Je te tiens, misérable ! » rugit-elle, en m'attrapant par la peau du cou.

Elle a de la poigne, la baleine !

Suspendue en l'air comme un chaton mouillé, j'ai beau me débattre, donner des coups de pied et agiter mes bras dans tous les sens, impossible de m'échapper.

Je hurle à pleins poumons :

« Laissez-moi ! Il faut que je sauve mon chien ! »

Mais Mme Denise s'en fiche : elle écume de rage en me secouant comme un prunier.

« Tu vas me le payer, jeune délinquante ! Je vais t'envoyer en prison ! Je... »

Elle s'interrompt, la bouche grande ouverte, l'expression ahurie.

Mes amis n'ont pas été longs à réagir. Ils se sont dressés et, gonflant leurs suaires, s'avancent vers elle, menaçants. Cernée par un drap rayé bleu et blanc, deux housses de couette et une couverture à carreaux, la blanchisseuse, terrifiée, me lâche.

« Mais... Mais... Mais..., bêle-t-elle.

Antoooooiiiine ! Le linge se révooooolte ! Le linge est vivaaaannt ! »

Profitant de sa panique, Enguerran m'attrape par le bras :

« Allez, viens, on file !

— Mon chien...

— On s'en occupera plus tard, viens, je te dis ! »

Et il m'entraîne ventre à terre vers une rue voisine.

Il était temps : le blanchisseur, armé d'un fusil de chasse, vient de surgir des décombres de sa boutique.

« Où sont-ils passés, ces saligauds ? fulmine-t-il.

— Par là ! » hurle sa femme, pointant un doigt tremblant en direction de nos cinq silhouettes qui galopent dans la nuit.

Une salve de coups de feu accompagne notre fuite éperdue.

Jamais, de toute ma vie, je n'ai couru aussi vite. Les rues, les mai-

sons, les immeubles défilent en accéléré. Le vent de la course me siffle aux oreilles, et lorsque je m'arrête, le ventre scié par un point de côté, j'ai l'impression d'avoir parcouru des kilomètres.

Hors d'haleine, nous parvenons dans un quartier que je ne connais pas. Devant nous s'ouvre une majestueuse avenue, bordée d'arbres.

Assis au bord du trottoir, les fantômes reprennent lentement leur souffle. La pluie a cessé de tomber, et dans le ciel à présent dégagé brille un croissant de lune. Mais le vent persiste, éparpillant mes cheveux carottes-râpées et soulevant des tourbillons de feuilles mortes. Sous les assauts de la bourrasque, les suaires de mes amis claquent comme des drapeaux.

« Bon... Qu'est-ce qu'on fait, maintenant ? » demande Alphonse en caressant, d'un geste machinal, le pelage à carreaux de Moustache.

Ma réponse est un cri de détresse :

« On cherche Hot-dog ! »

Je fonds en larmes. Mes amis, tout émus, m'entourent aussitôt.

« Ne t'en fais pas, Zoé, nous allons partir immédiatement à sa recherche ! décide Enguerran, en m'essuyant les yeux avec le bord de son drap.

— Oui mais... »

Entre mes reniflements et mes hoquets, j'ai du mal à m'exprimer !

« ... nous sommes loin... de l'endroit... où il a disparu... Il faut... retourner à la blanchisserie... »

Le mot fait frémir tante Hermine et Alphonse, qui s'écrient en chœur :

« Retourner à la blanchisserie ? Jamais ! »

Devant tant de lâcheté, tout mon être se révolte. Je serre les poings et, me dressant comme une furie, je leur fais front :

« Vous n'êtes qu'une bande de dégonflés ! Moi, je n'ai pas hésité à risquer gros pour vous sauver. Et vous, quand il s'agit de la vie de mon Hot-dog... !»

Les deux housses de couette piquent honteusement du nez.

« Pourquoi vous posez-vous tant de problèmes ? s'étonne Enguerran. Il n'a jamais été question de remettre les pieds dans ce lieu maudit ! »

Du coup, toute ma colère se retourne contre lui :

« Bien sûr que si ! Sinon, comment voulez-vous qu'on retrouve mon chien ?

— Tu l'as bien vu glisser dans une bouche d'égout, n'est-ce pas ? »

Je hoche la tête avec désespoir.

« Ben oui...

— Or, des bouches d'égout, il y en a partout, et elles aboutissent toutes au même endroit. Nous n'avons qu'à chercher celle qui se trouve par ici... »

Il jette un coup d'œil circulaire, et montre, du bout de son doigt rayé, une grosse plaque ronde dans le trottoir, à quelques mètres de nous.

L'instant d'après, ayant uni nos forces pour soulever la plaque, nous pénétrons, les uns après les autres, dans le puits obscur.

Une échelle métallique, scellée dans la paroi, mène au sous-sol. À la queue leu leu, nous nous enfonçons dans les ténèbres. Au fur et à mesure que nous descendons, l'ombre nous engloutit. Bientôt, au-dessus de nos têtes, seul un rond clair qui va s'amenuisant indique encore l'emplacement de la chaussée.

La peur me noue l'estomac. Si mon Hot-dog chéri n'était pas en danger, je remonterais immédiatement à la surface. Mais de savoir qu'il est perdu quelque part au fond de l'horrible gouffre me donne la force de poursuivre cette pénible expédition.

« Beurk, ça pue ! constate Enguerran qui me précède.

— Et il fait un froid de canard ! » ajoute Alphonse, qui me suit.

En effet, d'en bas nous parvient un souffle glacé aux effluves de moisissure. Je frissonne. Mes habits mouillés collent à ma peau, et si je claque des dents, c'est autant de froid que d'effroi.

Là-haut, le rond clair a encore diminué. Maintenant, il est à peine plus gros qu'une balle de tennis.

« Nous y voilà ! » dit Enguerran, en mettant pied à terre.

On ne voit pas grand-chose, mais assez tout de même pour deviner le sol, dans la pénombre. Le sol... et l'étrange paysage souterrain.

« Ça alors ! »

Moi qui croyais tomber dans une sorte de caverne... !

« On dirait une rue ! »

Devant mon hébétement, les trois fantômes se mettent à rire.

« Tu ne savais pas que les égouts forment une ville en dessous de la ville ? s'étonne Arrière-papy.

— Une ville peuplée de rats, de cafards et de blattes..., précise Alphonse.

— Et grouillante de microbes, de bactéries et de virus ! » ajoute tante Hermine d'un air dégoûté.

La « rue » où nous nous trouvons est pavée de grosses pierres irrégulières, et bordée d'un canal, qu'on entend clapoter doucement dans le noir. Des reflets rouges jouent dans les vaguelettes, où flottent des détritus divers : peaux de banane, boîtes de conserve vides, Kleenex usagés, arêtes de poissons.

Soudain, un aboiement résonne dans le lointain. Je fais un bond de joie :

« Hot-dog ! Il est vivant ! »

Et je pars ventre à terre en direction du bruit, longeant le canal dont les reflets rouges augmentent au fur et à mesure que j'avance.

Chapitre 8

La cité
souterraine

« Regardez, les copains : un feu de camp ! »

Ai-je prononcé une formule magique ? Des exclamations enthousiastes fusent aussitôt derrière mon dos.

« C'est elle ! s'écrie Enguerran.

— Ce sont eux ! ajoute Alphonse.

— Elle est avec eux ! roucoule tante Hermine.

— Miaou ! » conclut Moustache.

Quelqu'un, assis à côté du feu, leur répond par un signe joyeux. Et ce quelqu'un n'est autre que...

La stupeur me fige sur place.

... MA HOUSSE DE COUETTE À FLEURS.

Et, chose plus sidérante encore : sur ses genoux, il y a Hot-dog. Un Hot-dog tout fou, qui remue la queue en jappant, et qui donne de grands coups de langue affectueux aux pâquerettes, aux myosotis et aux petits boutons de roses.

Bientôt, les quatre fantômes se pressent autour d'eux.

« Louisette, quel plaisir de te retrouver ! s'exclame Enguerran, en serrant la housse dans ses bras.

— Ma chérie, je te croyais perdue !

fait tante Hermine, la voix tremblante d'émotion.

— Nous voici enfin réunis ! »
affirme Alphonse.

Être heureux et triste en même
temps, ça paraît impossible. Pourtant, c'est exactement ce que
j'éprouve. Mon cœur est tiraillé entre
le bonheur de découvrir que Louisette est hors de danger, et une

déception immense : Hot-dog se fiche pas mal de moi. Il ne s'est même pas rendu compte de ma présence. À croire... qu'il ne m'aime plus... que je n'existe plus pour lui...

... QU'IL S'EST CHOISI UNE NOUVELLE MAÎTRESSE !

Quelle ingratitude ! Quand je pense à tout le souci qu'il m'a donné !

Des deux sentiments contradictoires, finalement, c'est le chagrin qui l'emporte. Je me laisse glisser par terre et, recroquevillée sur moi-même, j'éclate en sanglots.

Ah, si j'avais su...

Si j'avais su, je serais restée tranquillement dans mon lit et j'aurais laissé ces fichus fantômes se débrouiller tout seuls ! Qu'est-ce que j'ai gagné, moi, dans cette aventure ? Rien que des embêtements ! Je me suis enrhumée, j'ai perdu mon chien, Mme Denise m'a enguirlandée, et en plus, demain matin, je serai si fatiguée que je n'arriverai pas à suivre les cours, en classe. Et si ça se trouve, je récolterai un tas de mauvaises notes...

Je suis vraiment la créature la plus à plaindre de toute la planète ! !!

C'est une double sensation qui me tire de mon désespoir : un grand coup de langue sur la joue droite, et un petit bisou sur la gauche.

« Zoé, tu veux bien devenir mon amie ? » chuchote une voix à mon oreille.

Je relève la tête. À deux doigts de mon nez, juste à côté de Hot-dog en train de frétiller, la housse de couette à fleurs sourit.

« Ça fait cent cinquante ans que je n'ai pas sauté à la corde ! » ajoute-t-elle, d'un air complice.

Dans ces conditions, ça va mieux. Je renifle, j'essuie mes yeux, je rends ses baisers à Hot-dog — des baisers à peine teintés de rancune ! — , son sourire à Louisette — un sourire juste un tout petit peu amer ! —, et je saute sur mes pieds.

Les mains tendues vers la chaleur du feu de bois, Enguerran, tante Hermine, Alphonse et Moustache se font sécher. La lueur des flammes danse sur leurs suaires. Ils ont l'air heureux d'être là, et fixent le brasier avec des mines réjouies. Pourtant, l'endroit est d'une saleté repoussante et sent vraiment très mauvais. La cité souterraine n'est qu'une vaste décharge au sol jonché d'immondices. Il y a même trois sacs-poubelle en plastique bleu autour du feu, et on se demande vraiment ce qu'ils font là !

Assis en tailleur, Alphonse caresse rêveusement son chat. Les graffitis qui constellent sa couette lui donnent une allure vaguement canaille. Quel genre de garçon était-ce, de son vivant ? Un gentil p'tit gars en costume marin, ou un sympathique vaurien ? J'opterais plutôt pour le second portrait. Je l'imagine assez, les mains dans les poches, la casquette de travers, un foulard rouge noué autour du cou, sifflotant dans la rue avec désinvolture...

Tandis que je l'observe, quelque chose me revient brusquement à la mémoire :

« Pourquoi, tout à l'heure, as-tu dit : "Elle est avec eux" ? "Elle", c'est Louisette, bien sûr, mais qui c'est, "eux" ? »

Avec un haussement d'épaules, Alphonse désigne les sacs-poubelle :

« Ben eux, pardi ! »

J'ouvre des yeux comme des soucoupes, d'autant qu'au même instant, l'un des sacs-poubelle bouge, en produisant un faible gémissement.

« HEIN ? Qu'est-ce que... ?

— Chut ! fait tante Hermine, un doigt sur la bouche. Tu vas les réveiller !

— Mais... mais... mais... Je ne comprends pas !

— Ce sont nos malheureux compagnons passés dans les machines à laver, explique Arrière-papy.

— Après le traitement qu'ils ont subi, ils sont très malades ! ajoute Louisette.

— Alors, ils se terrent dans ce trou, reprend tristement tante Hermine. Ils n'ont plus la force de regagner la civilisation...

— Pauvres amis... », soupirent-ils tous trois à l'unisson.

Et Moustache, interrompant son ronronnement bienheureux, d'approuver d'un miaulement plaintif.

« Et toi, dis-je à Louisette, comment se fait-il que tu sois en bon état ? »

Un rire cristallin monte vers la voûte, et Hot-dog l'accompagne d'une série de jappements complices.

À nouveau, la jalousie me pince le cœur. Ils s'entendent trop bien, ces deux-là...

« Moi, j'ai réussi à me sauver, répond la fantômette. Ça n'a pas été facile ! Je me suis retrouvée dans une machine, sous un tas de linge, emberlificotée dans mon suaire... J'étouffais, j'avais peur, c'était horrible. Puis tu as ouvert les hublots, Zoé, et mon âme s'est échappée. J'ai voleté un moment au-dessus de vous. Vous étiez tous en bien mauvaise posture, mais je ne pouvais rien faire pour vous aider : j'étais toute nue... Il fallait à tout prix que je trouve très vite un suaire ! J'ai traversé les murs de la laverie et je suis tombée nez à nez avec Hot-dog qui pleurait, assis tout seul devant la boutique. Et devine ce qu'il tenait dans sa gueule ?

— Ma housse de couette à fleurs !

— Exactement ! Je m'y suis introduite, et nous avons été emportés tous les deux par le flot.

— C'est pour ça que vous êtes devenus inséparables ? »

Une pointe de rancœur a percé, malgré moi, dans ma voix.

« Il était triste, et moi j'avais besoin d'un ami..., répond douce-ment Louisette. Mais c'est surtout une amie que je voudrais... », ajoute-t-elle aussitôt.

Devant son petit air coquin et humble à la fois, mes dernières réti-cences s'envolent.

« Tope là, Louisette ! On va devenir une sacrée paire de copines... et Hot-dog sera deux fois plus chouchouté ! »

Un concert de plaintes lugubres nous interrompt. Des ululements à vous donner la chair de poule. Len-tement, les sacs-poubelle sortent de leur léthargie.

« Enguerran ! Hermine ! Alphonse ! Louisette ! Moustache ! soufflent-ils.

— Athos ! Porthos ! Aramis ! »
s'écrient mes amis en les étrei-
gnant !

Tiens ? J'ai déjà entendu ces noms-
là quelque part !

Pendant que tout le monde
s'embrasse, je tire Louisette par la
« manche » de son suaire.

« Heu... C'est vraiment les Trois
Mousquetaires ?

— Ben ouais... Ils ont été chas-
sés de leur château en Gascogne
quand des Japonais l'ont racheté,
pour le démonter pierre par pierre
et le faire reconstruire à Kyoto...

— Et d'Artagnan n'est pas avec
eux ?

— Normalement si... Je suppose
qu'il a dû aller se balader... »

Nom d'une framboise en caleçon
long, si Rémi savait que j'ai rencon-
tré les Trois Mousquetaires, il en
serait malade de jalousie !

*
* *

J'ignore quelle heure il peut bien être, mais certainement très tard. Maintenant que j'ai retrouvé mon chien, il serait peut-être temps que je m'en aille : je tombe de sommeil.

Entre deux bâillements, je stoppe les effusions des revenants.

« Je rentre chez moi... Qu'est-ce que vous faites ? Vous m'accompagnez ? »

Enguerran hoche gravement la tête.

« Non, petite Zoé. Le monde d'au-dessus est bien trop dangereux pour nous !

— Vous allez rester dans cet horrible endroit ?

— En attendant de trouver une meilleure solution, nous n'avons pas le choix ! assure tante Hermine.

— Et puis, les Mousquetaires ont

besoin de réconfort, intervient Alphonse. On ne peut pas les abandonner, dans l'état où ils sont ! »

Au même instant, des profondeurs de la cité souterraine, un petit bruit saccadé se fait entendre. Tous les visages se tournent vers la zone d'ombre, derrière nous.

Peu à peu, une forme se dessine dans l'obscurité. Une silhouette bleue, appuyée sur une vieille béquille rafistolée, avance vers nous.

« D'Artagnan, mon cher compagnon ! s'écrie Arrière-papy en se précipitant à sa rencontre.

— Enguerran, vieille fripouille, je n'espérais plus te revoir !

— Ils étaient amis d'enfance », me glisse Louisette à l'oreille.

Ça alors, j'ai eu un ancêtre copain avec d'Artagnan ! Quand je raconterai ça à Rémi !!!

Bon, assez traîné. D'un pas décidé,

je m'avance vers les fantômes, la main tendue.

« Au revoir... Je ne vous oublierai pas ! Dorénavant, chaque fois que je mettrai un drap à la lessive, je regarderai s'il y a quelqu'un dedans ! »

Après de touchants adieux, je siffle mon chien :

« Tu viens, Hot-dog ? »

Comme il ne bouge pas, je m'étonne :

« Qu'est-ce que tu attends ? »

Visiblement partagé, Hot-dog nous regarde alternativement, Louisette et moi. Du coup, je m'énerve :

« Décide-toi, nom d'un Chamallow à lunettes ! Tu viens, oui ou non ? »

À contrecœur, il me suit, l'oreille basse.

L'un derrière l'autre, nous longeons le canal d'où montent des relents nauséabonds.

Hot-dog se retourne fréquemment. Son attitude me déprime à tel point que si je m'écoutais, je m'assiérais là, par terre, au bord de l'eau croupie, pour pleurer.

Au moment où j'atteins l'échelle, un bras se pose sur mon épaule. Un bras orné de pâquerettes, de myosotis et de petits boutons de roses.

« Tu as une corde à sauter, chez toi ?

— Ben... ouais !

— La dernière arrivée a un gage ! »

Les aboiements de Hot-dog saluent le départ de la course.

Lorsque nous parvenons à la maison, l'aube commence à poindre. C'est avec une joie sans mélange que je me glisse dans mon lit, en compagnie de Hot-dog et de Louisette. Je sombre aussitôt dans un profond sommeil, blottie contre mon chien et emberlificotée dans ma housse de couette sale.

Chapitre 9

Le rêve continue

« Zoé ! Zooooéééé ! »

Que se passe-t-il, un tremblement de terre ? Non, c'est ma mère qui me secoue.

J'ai un mal fou à ouvrir les yeux. Ça, c'est sûrement à cause de mon rhume ! À moins que je n'aie pas assez dormi...

« Réveille-toi, tu vas être en retard à l'école ! »

Au bout de quelques efforts considérables, je parviens tout juste à émerger. Je me lève, je marche au radar jusqu'à la salle de bains, je me lave, je m'habille. Puis je descends en titubant dans la cuisine.

Mon frère, plongé dans son bol de céréales, m'accueille avec un éclat de rire.

« Salut, zombie ! Tu tiens une forme d'enfer, toi, ce matin ! »

Sans répondre, je me laisse tomber sur une chaise.

Quel rêve idiot j'ai fait cette nuit ! Une histoire absurde de fantômes, d'égouts, et de... de quoi encore ? Ah oui, ce traître de Hot-dog me...

Tiens, à propos de Hot-dog, je ne l'ai pas encore vu ce matin !

Je me penche pour le chercher sous la table.

« Mon toutou, où es-tu ?

— Tu le sais très bien, Zoé ! Ne fais pas l'hypocrite ! » me coupe sévèrement maman.

Surprise, je lève un œil interrogateur.

« Où ça ?

— Tu as encore dormi avec lui, malgré mon interdiction ! »

Tiens ? Pourtant, je ne me souviens pas de l'avoir amené dans ma chambre, hier soir ! Il est resté devant la télé avec tout le monde...

J'ouvre la bouche pour protester, mais maman ne m'en laisse pas le temps.

« Inutile de nier, je l'ai vu dans ton lit, ce matin. Et j'y ai vu autre chose, aussi !

— Quoi ?

— La housse de couette que mamy t'a offerte. Je t'avais pourtant bien dit de la mettre à la lessive ! »

Je fais un tel bond sur ma chaise

que je manque de me casser la figure en retombant.

« Quelle mouche te pique ? » grogne Rémi.

Sans prendre la peine de répondre, je file comme une flèche vers l'escaliers que j'escalade quatre à quatre. Une fraction de seconde plus tard, je pénètre en trombe dans ma chambre.

« Bonjour, Zoé ! Bien dormi ? » s'écrie la housse à fleurs, émergeant de sous ma couette.

Ainsi, c'était donc vrai ! Je n'ai pas rêvé ma folle aventure de cette nuit...

... Ou alors, je ne me suis pas vraiment réveillée, et le rêve continue !

« Tu en fais, une drôle de tête ! s'étonne Louisette.

— Ben, il y a de quoi ! »

La voix de maman, montant du rez-de-chaussée, me rappelle à l'ordre.

« Zoé ! Que fabriques-tu encore ? Ton lait refroidit !

— J'arrive, m'man ! Je porte ma housse de couette dans le panier à linge ! »

Il n'y a pas une minute à perdre ! J'empoigne mon amie pour la rouler en boule.

« Vite, Louisette, sors de là, il faut que tu te caches ailleurs !

— Ah bon ? Mais où ? »

Mon regard affolé fait le tour de ma chambre :

« Euh... Ici ! »

La première chose qui me tombe sous la main, c'est ma chemise de nuit en pilou rose, qui traînait sur le dossier de la chaise. Je la lui tends.

L'instant d'après, la chemise de nuit se gonfle comme s'il y avait un corps à l'intérieur. Un petit corps fluet et souple ; celui d'une fillette de dix ans qui n'a pas sauté à la corde depuis un siècle et demi.

Sans plus tarder je la fourre dans mon placard.

« Reste cachée pendant mon absence : inutile de risquer de te retrouver dans la lessive !

— Mais... Je n'ai pas envie que tu me laisses toute seule ! proteste Louisette.

— Hot-dog te tiendra compagnie et veillera sur toi ! »

Avec un coup de langue approbateur, Hot-dog s'installe lui aussi dans le placard, douillettement lové dans les replis de la chemise de nuit.

*

* *

Je ne savais pas que ça existait, des journées aussi longues ! Les heures se traînent avec une lenteur d'escargot. C'est toujours comme ça quand on s'ennuie. J'ai presque l'impression que la maîtresse le fait exprès, de nous parler de choses sans intérêt, pour me retenir le plus longtemps possible loin de la maison. C'est que j'ai envie de rentrer, moi ! Je trépigne d'impatience ! Mon arrière-arrière-petite-cousine, qui m'attend dans ma chambre, me passionne bien plus que les leçons de français, de calcul et d'histoire ! Ah, enfin, la cloche sonne ! Ce n'est pas trop tôt !

Au premier tintement, je suis déjà debout, prête à partir. Laurence, ma voisine, me regarde avec étonnement : elle ne m'a jamais vue ranger mes affaires aussi vite.

« Attendez un instant, les enfants ! » dit la maîtresse.

Tous les préparatifs de départ se figent. Mme Lenoir — c'est le nom de notre maîtresse : elle s'habille toujours en noir ! — nous fait signe de nous rasseoir. J'obéis à contrecœur.

« Je vous avais promis une surprise, ce matin, annonce-t-elle. Eh bien, la voilà : demain, c'est la Journée Nationale de l'enfance. À l'occasion de cet événement, nous allons organiser un grand lâcher de ballons, le soir, après l'école. »

Le doigt du gros Benoît se dresse au-dessus de sa tête, comme une antenne de télévision :

« À quoi ça sert, m'dame ?

— Les ballons symbolisent la paix et la liberté. Ils s'envolent dans le ciel vers une destination inconnue pour atterrir au hasard, très loin quelquefois.

— Dans d'autres pays ? demande Thomas.

— Sur d'autres continents, même. On en retrouve certains aux États-Unis, en Inde, au Japon...

— Ouaaaah ! fait toute la classe d'une seule voix.

— Comment on le sait, qu'ils sont allés jusque là-bas ? » s'étonne Mélanie.

Mme Lenoir sourit.

« Chacun d'entre vous va inscrire son nom, son adresse, et un message d'amitié sur une étiquette que nous allons accrocher aux ballons. Nombre d'entre eux vont se perdre dans la nature, évidemment ; éclater en l'air ou tomber dans la mer, par exemple. Mais si vous avez de la chance, le vôtre sera peut-être trouvé par une personne qui vous écrira. Imaginez que vous receviez une lettre d'Asie, ou d'Afrique... »

Le projet est si excitant que tout le monde se met à parler en même temps. Sadia est convaincue que sa grand-mère, qui habite l'Algérie, va trouver son ballon.

« Le mien ira chez ma correspondante, en Angleterre ! » décide Laurence.

Au milieu du tohu-bohu, je suis la seule à rester silencieuse. La seule à ne pas avoir de projet, à ne pas participer à l'euphorie ambiante. Leurs histoires d'étiquettes, d'amis-du-monde-entier et de courrier-venu-d'ailleurs, je m'en moque. J'ai des préoccupations bien plus importantes !

Que fait Louisette en ce moment ? Est-elle restée tranquillement cachée, comme je le lui ai recommandé ? Hot-dog a-t-il bien rempli son rôle de gardien ? Ou bien... Une bouffée d'angoisse me saisit. Et si maman s'était mis en tête de ranger mon placard, juste aujourd'hui... ?

« Je peux m'en aller, maintenant, m'dame ? »

La maîtresse fronce les sourcils.

« Tu es bien pressée de nous quitter, Zoé ! Ce lâcher de ballons ne t'intéresse donc pas ? C'est une grande aventure, tu sais...

— Euh !... Ce n'est pas ça, mais... ma mère m'a recommandé de ne pas tarder... On a... rendez-vous chez le dentiste !

— Bon, alors je ne te retiens pas, file vite... Mais réfléchis quand même à ce que tu vas mettre, demain, sur ton étiquette ! »

Chapitre 10

La petite fille de l'album photo

Ouf, je me suis fait des frayeurs pour rien ! Louisette et Hot-dog n'ont pas bougé. Ils m'attendent sagement dans l'ombre du placard, et me font la fête lorsque j'arrive. Mon arrière-arrière-petite-cousine me saute au cou, mon chien agite sa queue en réclamant des câlins. J'adore être accueillie de cette façon !

« À quoi veux-tu qu'on joue, Louisette ? Au Monopoly ? À *Donjons et Dragons* ? Au game-boy ? »

Louisette ouvre des yeux ronds.

« Ben... Tu n'aurais pas plutôt une poupée ? »

Une poupée ? Je pouffe de rire. Plus aucune fille ne joue à la poupée, aujourd'hui !

« Ah bon ?... Au diabolo, alors ? À l'élastique ? Ou à la marelle ?

— C'est des jeux d'extérieur, ça ! Tu imagines la tête des voisins s'ils voient une chemise-de-nuit-sans-personne-dedans sauter de case en case ? »

Bien qu'elle ne le montre pas, je devine que Louisette est déçue.

« Et si on feuilletait des livres d'images ? propose-t-elle.

— Les livres d'images, c'est pour les bébés... »

Décidément, impossible de se mettre d'accord ! On ne va pourtant pas rester sans rien faire sous prétexte qu'on n'est pas de la même époque !

Assise près de moi sur le lit, la chemise de nuit rose ne dit plus rien. Se sentir autant « en dehors du coup », ça ne doit pas être marrant ! Il faut que je trouve d'urgence une idée.

Je me creuse les méninges, et soudain, pouf ! un trait de génie.

« Tu aimes bien les albums de famille ? »

Aussitôt, Louisette bat des mains.

« Oh oui ! Tu en as ?

— Plein ! Ils sont dans la bibliothèque du salon... Attends, je vais les chercher ! »

Quelques instants plus tard, nous nous plongeons religieusement dans les gros classeurs de cuir.

Certains albums sont très anciens. Sur les photos en noir et blanc, jaunies par le temps, on voit des tas d'inconnus posant dans leurs habits du dimanche. Des groupes de petits garçons tondus, en tabliers d'uniforme, surveillés par des religieuses à cornette. Des mariées, des communiantes, des militaires. Des bébés dans des berceaux de dentelle...

Louisette semble passionnée. Elle connaît les noms de la plupart des gens, et pousse des exclamations étouffées :

« Oh, grand-mère ! Et là, le baptême du petit Fernand ! Et oncle Henri en uniforme, comme il est drôle !... »

Vraiment, je n'espérais pas lui faire autant plaisir !

Soudain, comme je tourne une page :

« Là ! C'est moi !

— TOI ? ! ? »

Je sursaute si fort que ça fait trembler le lit. Sur le carton glacé, une jolie petite fille sourit. Elle a des bouclettes blondes frisottant autour d'un visage rond, un nez mutin, des paupières aux longs cils, des fossettes au milieu des joues.

« Tu étais encore plus belle que je ne l'imaginais ! »

Flattée, elle se met à rire :

« Je te ressemblais un peu, tu sais... À part la couleur des cheveux... »

Sous la photo, quelqu'un a soigneusement écrit : « Dernier portrait de Louisette, décédée à l'âge de dix ans. »

Installé entre nous deux, Hot-dog contemple, lui aussi, la fillette de l'album. Et son regard fait sans arrêt l'aller-retour entre elle et la chemise de nuit rose. Comprend-il qu'il s'agit de la même personne ? Ça m'étonnerait, bien qu'il soit plutôt intelligent, comme animal...

« De quoi tu es morte, Louisette ?

— Je me suis noyée dans l'étang, en essayant de cueillir des nénuphars. »

Toute songeuse, je passe à la page suivante. Et je tombe sur un adolescent en pantalon de golf, tenant le guidon d'un vélo. Il fait une grimace à l'objectif. Sur le porte-bagages, un chat est assis.

« Tu crois que c'est Alphonse ? »

Louisette hausse les épaules.

« Je n'en sais rien... Il est né longtemps après ma mort.

— Je me le figure tout à fait comme ça... et Moustache aussi ! »

Le chat est noir avec le ventre et le bout des pattes blancs, ce qui lui donne l'air de porter un slip et des chaussettes. Je l'inspecte sur toutes les coutures.

« Regarde, Louisette, il... »

Je n'ai pas le temps d'en dire plus. Quelque chose vient de rouler sur la photo. Une grosse larme.

Surprise, je lève la tête. Dans l'espace, une seconde larme jaillit de nulle part...

« Tu... tu pleures ? Qu'est-ce qui se passe ? »

L'arrière-arrière-petite-cousine pousse un soupir.

« C'est à cause d'Enguerran, de tante Hermine, d'Alphonse et des autres... Les photos me les ont rappelés, et je me tracasse pour eux... Vivre dans les égouts, c'est terrible, tu sais... »

Ça, pas la peine de me l'expliquer, je m'en doute. Rien que de repenser à l'odeur, j'en ai la chair de poule !

« Qu'est-ce qu'on peut faire pour les aider ?

— Je n'ai pas arrêté d'y réfléchir, toute la journée. Il y aurait peut-être une solution...

— Laquelle ?

— Qu'ils viennent tous s'installer ici ! »

Je bondis.

« Ça va pas, la tête ? L'expérience de la laverie ne t'a pas suffi ?

— Ce n'est plus pareil, nous t'avons maintenant. Tu t'occuperas

de nous, tu nous protégeras... Tu nous rangeras dans ton armoire... »

Elle en a de bonnes, elle ! Comme si on y était en sûreté, dans mon armoire ! Comme si ma mère n'y farfouillait jamais, dans mon armoire !

« Tu n'as qu'à la fermer à clé !

— Je n'ai pas le droit... Et

d'ailleurs, il n'y a pas assez de place. Tu te vois coincée toute la journée entre deux étagères, avec huit autres personnes pliées au-dessus de toi ? Et dans le noir complet ?

— Les égouts, tu crois que c'est mieux ? »

J'en ai marre : elle a réponse à tout, cette chemise de nuit ! Mais je ne suis pas encore à bout d'arguments.

« Et les Mousquetaires, hein ? Ils sont dégoûtants, les Mousquetaires ! Ils sentent mauvais ! Je ne peux quand même pas mélanger mes tee-shirts et mes culottes propres avec des sacs-poubelle !

— Tu n'as qu'à leur donner des draps pour se vêtir : il y en a plein le placard de la chambre d'ami... »

On se regarde, toutes les deux. Au-dessus du col vide de la chemise de nuit, j'essaie de deviner la petite tête blonde frisée de l'album. Et le nez en trompette, et les longs cils, et les fossettes.

« S'il te plaît, Zoé... Ça me ferait tellement plaisir...

— Ben... Si tu y tiens tellement...

— Merci, ma Zoé ! Tu es la fille la plus gentille qui existe au monde ! »

Chapitre 11

Une chemise de nuit au bout d'un fil

Piquer quatre draps pour les Mousquetaires, ce n'est pas très difficile. Pendant que mes parents et Rémi regardent la télé, je m'introduis discrètement dans la chambre d'ami, et je me sers. Jusque-là, pas de problèmes. Mais c'est la suite qui m'inquiète !

« Tu arriveras à te débrouiller toute seule, Louisette ? »

La manche de ma chemise de nuit rose me tapote affectueusement la joue.

« Ne t'en fais pas, va... D'ici une heure, nous serons tous de retour.

— Tu ne veux vraiment pas que je vienne avec toi ?

— Non, ce n'est pas la peine. Imagine que tes parents te surprennent... Ils te poseraient des questions, ils fouineraient partout... Si on veut pouvoir cacher tout le monde ici, il ne faut surtout pas éveiller leurs soupçons ! »

Évidemment, elle a raison. D'autant que, franchement, recommencer l'expédition nocturne d'hier ne me tente pas du tout ! Je ne me sens pas très en forme, ce soir : je n'ai pas assez dormi, j'ai pris froid, ma gorge me gratouille....

Un dernier point me chiffonne, cependant :

« Et si tu rencontres des gens ? Si tu te fais prendre ?

— Ne t'inquiète pas, je serai prudente. Qu'est-ce que je risque, après tout ? Je suis déjà morte... À part les machines à laver, je ne crains pas grand-chose ! »

Déjà, Louisette, sa pile de draps sous le bras, a ouvert la fenêtre de ma chambre. Un vent humide s'engouffre dans la pièce, tandis qu'elle se met debout sur le rebord.

Je pâlis d'un seul coup.

« Mais... Que fais-tu ?

— Ben je sors, pardi ! C'est bien plus facile que de passer par la porte !

— Tu ne vas pas sauter, tout de même ! On est au premier étage !

— Et alors ? Une petite chute ne me fait pas peur... Le vent me portera ! »

Alors là, je ne suis pas d'accord, mais pas d'accord du tout ! Je la retiens de toutes mes forces par la manche. Elle se débat avec un peu d'impatience :

« Lâche-moi, Zoé, voyons ! Puisque je te dis que c'est sans danger ! »

L'énervement rend sa voix désagréablement aiguë. Du coup, moi aussi je hausse le ton :

« Et cueillir des nénuphars dans l'étang, c'était sans danger aussi, peut-être ? »

L'argument la laisse perplexe. Subitement, elle se radoucit.

« Euh !... Tu dois avoir raison... Je crois que je suis un peu imprudente... »

Triomphante, j'annonce :

« Attends, j'ai une meilleure idée ! »

Et sans lui donner le temps de répondre, je fonce vers mon placard et je sors pêle-mêle tout ce qui s'y trouve : mes tee-shirts, mes culottes, mes chaussettes, mes pulls, mes jeans. Puis je commence à tout attacher bout à bout.

« Que fais-tu ? s'étonne Louisette.

— Une échelle de corde, comme dans les films.

— Ouah, bravo ! Attends, je t'aide. »

À nous deux, ça va vite ! Un quart d'heure plus tard, un long serpent blanc, bleu, vert pâle, à petits pois et à carreaux, se déploie sur le parquet de ma chambre. Tous mes vêtements y sont passés !

« Tu crois que ce sera assez long ?

— On va bien voir... »

Je l'attache au pied du lit, je le fais passer par la fenêtre... Victoire ! La dernière chaussette touche tout juste le sol !

Évidemment, ça fait un peu bizarre, ce gros boudin de toutes les couleurs qui pend le long de la façade. Par chance, la rue est déserte. Personne à droite, personne à gauche ?

« À tout à l'heure ! » lance Louisette, en s'agrippant d'une manche énergique à la corde improvisée. Quand nous serons de retour, je sifflerai pour que tu nous la renvoies ! »

Le vent tourbillonne dans la chemise de nuit en pilou. Bientôt, l'arrière-arrière-petite-cousine met pied à terre et, après un signe d'adieu, disparaît dans la nuit.

Je suis occupée à remonter le boudin, quand un bruit discret résonne derrière moi.

« Toc toc. »

Je fais un bond en l'air. Ah, le moment est bien choisi !

« Euh !... Qui... qui c'est ? »

La voix de papa traverse la porte :

« Moi, mon p'tit pot-au-feu... Je t'apporte un bol de lait chaud avec du miel, pour ton rhume...

— Attends une minute, s'il te plaît. »

Vite, vite, j'achève de rentrer le boudin, je le planque derrière le rideau, je referme la fenêtre. Puis je saute dans mon lit et je remonte la couette sous mon menton.

« Voilà, tu peux venir !

— Qu'est-ce que tu faisais ? » s'étonne papa.

Je prends mon air le plus digne.

« Je me déshabillais, tiens !

— Dans ce froid ? Ton chauffage ne fonctionne pas ?

— Euh ! si... mais j'ai ouvert la fenêtre. Pour... pour aérer un peu, tu comprends...

— Ce n'est pas raisonnable, quand on est enrhumée... »

Il s'assied près de moi, me passe le bol fumant.

« Allons, bois vite, ça évitera que tu ne tousses, cette nuit ! »

J'adore quand papa me dorlote.. Mon père à moi, c'est le plus gentil papa du monde ! Et en plus, le lait chaud avec du miel, je ne connais rien de meilleur !

« Alors, qu'as-tu fait aujourd'hui, à l'école ? » demande papa, pendant que je me régale.

Ça, c'est la question piège. J'ai tellement la tête ailleurs que je ne me le rappelle plus du tout...

J'avale une grosse gorgée pour me donner contenance.

... Ah, oui ! un détail me revient... C'est toujours mieux que rien !

« On va faire un lâcher de ballons, demain, pour la Journée Nationale de l'enfance. »

Le visage de papa s'éclaire.

« Formidable !

— La maîtresse dit que les ballons peuvent aller très loin, jusque dans d'autres pays... Tu crois que c'est vrai ? »

Papa hoche la tête en souriant.

« Tu veux que je te raconte une histoire, mon p'tit pot-au-feu ?

— Oh oui ! C'est tellement rare ! »

Je cale bien ma tête au creux de l'oreiller, je ferme les yeux...

« Les lâchers de ballons sont une très vieille coutume, dit papa. Quand j'étais enfant, cela se faisait couramment. Une fois, je devais avoir à peu près ton âge, j'avais accroché une image à mon ballon, en guise d'étiquette. Une vignette des Trois Mousquetaires, gagnée dans un paquet de chocolat. J'en faisais la collection, et celle-là, je l'avais en double. Quelque temps plus tard, une carte postale à mon nom est arrivée à l'école. Elle venait du Japon. Mon ballon avait éclaté sur un fil électrique, mais un petit Japonais avait trouvé l'image, avec l'adresse. Nous avons correspondu ensemble pendant des années. Toutes mes vignettes y sont passées... Grâce à moi, au pays du "Soleil Levant", des enfants ont découvert Alexandre Dumas... »

Il y a des récits qui vous endorment, d'autres qui vous tiennent éveillé. Celui-ci met en marche tous les rouages de mon cerveau.

Les Trois Mousquetaires... le Japon... C'est bizarre : papa ne m'avait jamais parlé de ce souvenir, et pourtant, il y a là-dedans quelque chose qui m'est familier...

Les Trois Mousquetaires... le Japon... Pourquoi ces deux mots vont-ils si bien ensemble ?

Bon sang, mais c'est bien sûr ! Je me redresse d'un bond.

« P'pa !

— Oui, mon poussin ?

— C'est possible que des gens rachètent un vieux château et le démontent comme du Lego pour le reconstruire ailleurs ? »

Papa hoche à nouveau la tête.

« Bien sûr, j'ai même vu un reportage là-dessus, il n'y a pas longtemps. Ça coûte une fortune, évidemment, et seuls de richissimes originaux peuvent se permettre cette fantaisie. Mais c'est techniquement possible.

— Le château de Gascogne aussi ? »

Papa lève un sourcil, perplexe, ce qui forme un accent circonflexe au-dessus de ses lunettes.

« Quel château de Gascogne ?

— Ben... Celui des Trois Mousquetaires ! »

Là, papa éclate de rire franchement.

« Ça t'a impressionnée, dis donc, ce que je t'ai raconté ! Mais pourquoi pas ? On peut imaginer que mon petit correspondant japonais soit devenu très riche et ait souhaité, une fois adulte, acquérir le décor de ses rêves d'enfant. Ce serait même une très jolie fin pour mon histoire ! Bon, maintenant, il faut dormir, ma chérie ! »

Il se penche, m'embrasse sur le front, et se relève, l'air inquiet :

« Tu n'aurais pas un peu de fièvre, toi ? Je te trouve bien chaude ! »

Normal : l'excitation m'a mis le feu aux joues !

« Euh !... C'est le lait qui me fait transpirer : il était bouillant !

— Ce serait trop bête si tu étais malade demain, hein ? »

Avec une mimique complice, il s'esquive. Au même instant, un léger sifflement retentit dans la rue.

Chapitre 12

La liberté contre un game-boy

Neuf draps trempés peuplent bientôt ma chambre. Je suis tellement contente que je n'attends même pas qu'ils soient assis pour annoncer :

« J'ai trouvé une idée qui va tout arranger ! »

Arrière-papy me lance un regard étonné :

« Ah bon ? Quel genre d'idée ?

— Pour nous, rien ne s'arrangera

jamais..., souffle tante Hermine, en s'installant sur la moquette avec un gémissement de vieille dame.

— Vivre en piles au fond d'un placard, rien ne pouvait nous arriver de pire... à part les égouts, évidemment ! » ajoute Alphonse, accablé.

Un miaulement lugubre lui fait écho.

Tassés sous mon bureau, les uns contre les autres, les quatre Mousquetaires soupirent à fendre l'âme.

« Dire que nous avions un magnifique château, rien qu'à nous...

— Plein de couloirs sombres où résonnaient nos pas...

— Avec de grandes pièces sinistres, que nous pouvions hanter à notre guise...

— De profondes caves voûtées, des geôles, des oubliettes... »

Mon exclamation, coupe court aux jérémiades.

« **JUSTEMENT !**

— Quoi "JUSTEMENT" ? s'étonne Athos.

— Que signifie ce "JUSTE-MENT" ? renchérit Porthos.

— Ça signifie que j'ai un plan pour que vous puissiez y retourner, dans votre château !... »

Et je leur déballe tout : le lâcher de ballons, les vignettes des paquets de chocolat, le copain japonais de papa... Puis je conclus :

« ... Vous n'avez qu'à utiliser les ballons comme moyen de locomotion ! Vous vous y accrochez, et ils vous transportent où vous le souhaitez... À Kyoto, par exemple... »

Au fil de mes paroles, les fantômes ont peu à peu perdu leur mine d'enterrement. C'est très spectaculaire, comme métamorphose ! Lorsque je termine, ils sont complètement « regonflés ».

« Ton idée est géniale ! s'écrie Louisette.

— Y aurait-il une petite place pour nous, chez vous, mon cher d'Arta-gnan ? demande poliment Arrière-papy.

— Plus on est de fous, plus on rit, mon cher Enguerran !

— La présence d'une femme ne vous dérange pas ? susurre tante Hermine.

— Ce sera un honneur, au contraire ! affirme Aramis avec une courbette.

— Et celle d'un animal ? s'inquiète Alphonse.

— Il fera fuir les souris qui rongent nos suaires ! » s'esclaffent Athos et Porthos d'une seule voix.

Puisque les mondanités sont finies, il ne nous reste plus qu'à mettre au point les détails pra-tiques. Et ce n'est pas le plus simple !

« Les ballons supporteront-ils le poids de nos draps de lit ? demande

Enguerran, pris d'une soudaine anxiété.

— Surtout s'il pleut ! » ajoute tante Hermine.

Zut ! je n'avais pas pensé à ça...

Heureusement, Alphonse est un jeune homme moderne et sans préjugés. De plus, les dirigeables, c'est une invention de son époque.

« Pas besoin de draps ni de housses de couette, décrète-t-il : nous n'avons qu'à introduire nos âmes À L'INTÉRIEUR des ballons !

— On ne me verra pas toute nue ? s'assure tante Hermine.

— Bien sûr que non : l'enveloppe est opaque.

— Alors, je veux bien ! »

L'assemblée applaudit, puis une nouvelle question se pose :

« D'accord... Mais comment faire ?

— Les ballons sont gonflés à l'hélium, reprend Alphonse qui, décidément, semble s'y connaître.

Ensuite, ils sont fermés par un élastique. Il faut donc que nous nous y installions AVANT, lorsqu'ils sont encore vides ! »

Ça, c'est le hic. Je me gratte le bout du nez avec embarras.

« Ben oui mais... où les trouver ?

— Ils ne sont pas stockés dans ta classe ?

— Non... Je crois que le marchand les apporte au dernier moment, et c'est lui qui les gonfle... Nous, on n'a pas le droit d'y toucher...

— Alors, c'est fichu... », soupire Alphonse.

Aïe aïe aïe, j'ai bien peur qu'il n'ait raison. Les choses sont beaucoup plus compliquées que je ne le pensais. À bien y réfléchir, elles paraissent même irréalisables. Mon beau plan m'a tout l'air de tomber à l'eau !

Découragée, je baisse la tête. La manche de Louisette m'entoure tendrement les épaules.

« De toute façon, comment aurais-tu fait pour nous emmener à l'école ? dit-elle très doucement. Ton cartable n'est pas assez grand...

— C'était un joli rêve, merci d'y avoir pensé..., murmure tante Hermine.

— Pendant quelques instants, tu nous as donné de l'espoir... C'est mieux que rien ! » soupire Enguerran.

Un bruit fracassant nous tire brutalement de notre tristesse. Aussitôt, les fantômes se raplatissent par terre.

D'un bond, je me retourne sous ma couette.

« Oui ? Qu'est-ce que c'est encore ?

— C'est moi Rémi ! »

Sans attendre que je l'y autorise, mon frère entre. Son regard étonné fait le tour de la pièce.

« Ben dis donc, il y a un sacré

désordre, chez toi ! Tu fais quoi, avec tous ces draps ? Une collec' ?

— Euh, non !... Je... je voulais me fabriquer une tente !

— C'est maman qui va apprécier !

— Tu ne lui diras rien, hein ?

— Est-ce que j'ai une tête de rapporteur ? »

Comme papa tout à l'heure, il s'assied sur le bord de mon lit :

« De toute façon, c'est pas mon problème. Moi, je suis venu te parler affaires ! »

Je dois avoir l'air si ahurie qu'il se met à rire.

« Tu te souviens, le mois dernier, c'étaient les soldes dans le centre commercial d'à côté ?

— Ben... ouais. Et alors ?

— Ils avaient même collé des affiches : *Anniversaire du Blanc et de la Couleur,* et pour donner une atmosphère de fête, ils avaient mis des ballons partout...

— Ça, oui, je me rappelle !

— Eh bien, j'en ai piqué plein ! »

Du bout de son énorme basket, il soulève un coin de la housse de couette violette de tante Hermine.

« Comment tu as fait pour que ta "tente" soit aussi mouillée ?

— J'ai laissé la fenêtre ouverte et il a plu, tout à l'heure... Mais où veux-tu en venir exactement, avec ton histoire de soldes ?

— Papa m'a dit qu'il y aurait un lâcher de ballons, demain, dans ton école. Et que chacun de vous mettrait une étiquette avec son nom...

— Oui... Le but, c'est de recevoir un maximum de réponses, surtout si elles viennent de loin !

— Avec plusieurs ballons, on multiplie ses chances !

— Ben oui... mais on n'en a qu'un chacun !

— Et si je te donnais la possibilité de tricher ? »

Avec des gestes mystérieux, il sort une poignée de ballons de la poche de son jean.

« Il suffit que tu les étiquettes à ton nom, et que tu les glisses discrètement parmi les ballons à gonfler... Ta maîtresse n'y verra que du feu, et le tour sera joué ! »

Mon cœur se met à battre à cent à l'heure.

« Tu... Tu me les passes ?

— Je te les échange, nuance !

— Contre quoi ?

— Ton game-boy ! »

Je lui saute au cou.

« D'accord ! »

Son air ébahi vaut le détour. S'il y a bien une chose à laquelle il ne s'attendait pas, c'est que j'accepte sans hésiter une seconde !

Chapitre 13

Des milliers de ballons dans le ciel

Le lendemain, j'arrive à l'école les poches pleines de ballons. Il y en a neuf en tout (les autres, je les ai laissés à la maison) : un rouge, un rose, un bleu, un blanc, un vert, un jaune, un violet, un orange et un noir. Et chacun d'eux contient l'âme d'un fantôme.

L'avenir et la liberté de mes amis

ne dépendent plus que de moi, à présent. C'est une lourde responsabilité.

La classe est en ébullition. Et Mme Lenoir a beau promettre que « si ça continue, on ne participera pas au lâcher de ballons », rien n'y fait. Tout le monde sait très bien qu'elle ne mettra pas sa menace à exécution.

En début d'après-midi, la camionnette de *Momo, le roi de la baudruche* stoppe devant le portail.

« Voilà notre matériel qui arrive, dit la maîtresse, en regardant par la fenêtre.

— OUAAAIIIS ! »

L'ovation dégénère bientôt en chahut.

« Bon, nous allons procéder à la distribution des étiquettes, annonce Mme Lenoir pour nous calmer. Marquez-y bien lisiblement vos noms et vos adresses, et si vous le désirez, un petit mot d'amitié. »

Elle sort un panier de son tiroir et le pose sur le bureau.

« Dès que vous aurez terminé, mettez vos "œuvres" ici. »

Quelques minutes plus tard, le panier est plein.

« Qui va porter ces étiquettes dans la camionnette, en bas ? » demande Mme Lenoir.

Tous les doigts se lèvent.

« Moi ! Moi ! Moi ! »

Mais... C'est peut-être ma chance, ça ! Il ne faut surtout pas que je la laisse passer !

Du coup, je crie trois fois plus fort que les autres :

« MOI, M'DAME ! !! »

— Zoé ! » décide la maîtresse en me tendant le panier.

Nom d'une libellule à moteur, l'audace, ça paie parfois !

Quelques instants plus tard, je dévale l'escalier.

Momo, le roi de la baudruche n'est

pas beaucoup plus vieux que mon frère. Avec sa salopette trois fois trop grande, son polo rayé et sa coiffure « en pétard », je le trouve vraiment sympathique.

Un Walkman sur les oreilles, il somnole, les pieds sur le volant de sa guimbarde.

« Bonjour, m'sieur... La maîtresse m'a dit de vous apporter ça... »

Je lui tends les étiquettes. Le grand moment est arrivé... et je ne sais toujours pas comment je vais m'y prendre.

D'un geste du pouce, Momo me désigne l'arrière du véhicule.

« Mets-les avec les autres. »

Toute tremblante d'émotion, je fais le tour de la camionnette, dont le coffre est grand ouvert. À l'intérieur, deux bonbonnes d'hélium voisinent avec un carton plein d'étiquettes, et un autre plein de ballons.

D'un geste vif, je verse mon panier dans le premier carton, puis, après un coup d'œil furtif aux alentours, je sors mes neuf ballons et je les fourre dans le second carton.

Au moment où je m'apprête à m'en aller, une toux discrète résonne derrière moi. Je me retourne d'un bloc. Les poings sur les hanches, Momo m'observe, hilare.

« Oh ! la vilaine resquilleuse ! » glousse-t-il.

Celui-là, alors, quel faux-jeton ! Il a délaissé son Walkman pour venir m'espionner en douce !

Plus rouge qu'un coquelicot, je bredouille :

« Je... Ex... excusez-moi...

— Qu'est-ce tu trafiquais, gredine ?

— Ben je... j'ai mis quelques ballons à moi... pour qu'ils s'envolent avec les autres... »

Il se gratte la tête, perplexe, ce qui

a pour effet d'ébouriffer encore un peu plus sa tignasse hirsute.

« Tu as mis des ballons, dis-tu ? Tu n'en as pas pris ?

— Oh non !... Regardez, c'est ceux-là : ils n'ont pas tout à fait la même couleur que les autres...

— Et tu veux que je les gonfle ?

— Oui, s'il vous plaît !

— Mais pourquoi ? Je ne comprends pas : il n'y a même pas de nom accroché dessus... »

Je lui fais mon plus beau sourire.

« Pour qu'ils partent vers le Japon ! »

Il pousse un petit sifflement admiratif.

« Tu es ambitieuse, toi ! Ambitieuse et désintéressée, des qualités rares !

— C'est pas ça, mais... des ballons dans un tiroir, je trouve ça triste. C'est comme des oiseaux en cage : ils sont tellement mieux dans le ciel !

— O.K., princesse ! Tu m'as convaincu. Nous allons donner des ailes à tes baudruches !

— Merci, m'sieur ! Et au revoir ! »

Je me sauve en sautillant. Mission accomplie : mes amis sont en de bonnes mains. Je sais que je peux retourner en classe en toute confiance.

« C'est bien la première fois qu'un enfant me donne des ballons au lieu de m'en piquer ! » rigole Momo en me regardant partir.

*
* *

Quatre heures. Toute l'école est rassemblée dans la cour.

Il ne pleut plus, heureusement, mais le ciel est si sombre qu'on dirait une coupole de plomb.

Soudain, une musique s'échappe du camion. C'est *L'Hymne à la Joie* de

Beethoven, je le reconnais parce qu'on l'a appris à la chorale. Et, au milieu des chants, les premiers ballons s'envolent.

Ces bulles multicolores sur le gris des nuages, c'est tellement beau, tellement magique, qu'un tonnerre d'applaudissements salue l'apparition.

Bientôt, au-dessus de nous, le firmament fourmille de petits points de couleur qui diminuent, diminuent, jusqu'à disparaître dans le lointain.

De la camionnette, les ballons, munis de leurs petites étiquettes, continuent à s'échapper, les uns après les autres.

Moi, j'ai la gorge nouée... Parmi cette constellation de confettis volants, je cherche mes amis. Mes amis, partis pour une destination lointaine, et que je ne reverrai peut-être jamais. Pouvu que le vent les

pousse dans la bonne direction...
Pourvu qu'ils n'éclatent pas en
route... Pourvu que...

... POURVU QU'ILS NE M'OU-
BLIENT PAS...

« Regarde comme c'est marrant,
me glisse Laurence avec un coup de
coude. Il y en a neuf collés les uns
aux autres... »

Du doigt, elle me désigne l'étrange phénomène. En effet, neuf ballons : un rouge, un jaune, un vert, un blanc, un bleu, un violet, un rose, un orange et un noir forment un groupe compact qui se dirige nettement vers l'est.

« On dirait une tribu ! commente Mathieu.

— Ou une famille ! » ajoute Mélanie.

Moi, je ne dis rien. Je suis bien trop émue. Je ne quitte pas les fantômes des yeux.

Le ballon rose, surtout, capte toute mon attention. Oh, ma Louisette, comme je suis triste de te perdre !...

Les applaudissements accompagnent mes regrets.

*
* *

Ce sont les applaudissements qui me réveillent.

« Au lit, marmotte ! » dit une voix moqueuse, à côté de moi.

Stupéfaite, je me frotte les paupières. Papa et maman m'observent en riant. Vautré dans les coussins du canapé, Hot-dog ronfle, le museau entre les pattes. Sur l'écran de la télévision, je vois défiler le générique. Mon frère, assis près de moi, applaudit vigoureusement.

Ahurie, je me frotte les yeux : qu'est-ce que je fais ici ?

Dans un dernier sursaut d'espoir, je cherche des yeux le ballon rose.

Mais il n'y a pas de ballon rose. Il n'y en a jamais eu. Louisette n'a existé que dans mon imagination...

« Si nous allions tous nous coucher ? » propose papa, en éteignant l'écran.

En somnambule, je me lève, et je

suis la procession familiale qui se dirige vers l'étage.

« Bonne nuit, mes chéris ! dit maman, arrivée en haut de l'escalier.

— Dors bien, Rémi ! Et toi, mon p'tit pot-au-feu, fais de jolis songes ! ajoute papa.

— N'nuit, p'pa ! N'nuit, m'man ! »

L'instant d'après, je plonge sous ma couette. Et là, évidemment c'est l'insomnie. Avec tout ce qui me tourne dans la tête...

Derrière la fenêtre, la tempête bat son plein. J'entends la pluie crépiter sur le carreau, et le vent secouer les arbres du square en mugissant. Un temps à ne pas mettre le nez dehors ! Quand je pense que j'ai affronté cet ouragan... Et pour qui, pour quoi ? Pour des fantômes... Quel rêve idiot !

Je suis bien, dans mon lit.

Mais je serais encore mieux s'il y avait un ballon rose tout près de moi. Ou une chemise de nuit en pilou. Ou une housse de couette à fleurs...

Hou là, je me sens un peu malheureuse, moi... Dans ce cas-là, une seule solution !

Je me lève sur la pointe des pieds et je jette un coup d'œil dans le couloir... Personne. Sous la porte de papa et maman filtre un rai de lumière. Rémi, lui, a déjà éteint. La voie est libre.

C'est marrant, d'habitude, j'ai un peu peur, dans le couloir obscur. Mais pas ce soir. Ce soir, si un fantôme surgissait brusquement des ténèbres, au lieu de m'enfuir en courant, je lui ferais la bise...

À pas de loup, je descends l'escalier. Et je me glisse dans la cuisine.

Hot-dog m'accueille avec des couinements de joie.

« Chut ! Ne fais pas de bruit ! »

Je le prends dans mes bras, et je m'apprête à retourner me coucher avec lui, quand une idée subite me fait rebrousser chemin. En catimini, j'entre dans le salon, et je prends un album photo dans la bibliothèque. Le plus vieux, celui à la grosse couverture de cuir patiné. Puis, mon chien d'un côté, l'album de l'autre, je regagne ma chambre.

*

* *

Une photo en gros plan occupe toute la page. Un visage de petite fille, encadré de frisettes blondes. À l'ombre de leurs longs cils, ses yeux sourient. Elle a un nez mutin et des fossettes au creux des joues. Sous le cliché, une main a soigneusement calligraphié : *Dernier portrait de Louisette, décédée à l'âge de dix ans.*

Je la regarde, et mon cœur s'emballe dans ma poitrine.

« On l'aimait bien, hein, Hot-dog ! »

La truffe de Hot-dog frémit. Lui aussi regarde la fillette aux nénuphars. Mais... qu'est-ce qui vient de rouler sur la photo ? Quelque chose de rond, de brillant, de mouillé. Une larme...

Est-ce que ça pleure, les chiens, quelquefois ?

Table

Composition *Jouve* - 53100 Mayenne

Imprimé en France par *Partenaires-Livres*®
n° dépôt légal : 25163 - août 2002
20.20.0486.03/9 ISBN : 2-01-200486-5
Loi n° 49-956 du 16 juillet 1949
sur les publications destinées à la jeunesse